学会保护自己

幼儿
公共场所安全

YOUER GONGGONG CHANGSUO ANQUAN

幼学馆早教研发中心◎编著

北京联合出版公司
Beijing United Publishing Co., Ltd.

图书在版编目（CIP）数据

幼儿公共场所安全 ／ 幼学馆早教研发中心编著. ﹣﹣北京 ：北京联合出版公司，2014.11
（学会保护自己）
ISBN 978﹣7﹣5502﹣4080﹣3

Ⅰ．①幼… Ⅱ．①幼… Ⅲ．①安全教育﹣学前教育﹣教学参考资料 Ⅳ．①G613.3

中国版本图书馆CIP数据核字(2014)第270384号

幼儿公共场所安全

编　　著：幼学馆早教研发中心

选题策划：大地书苑

责任编辑：王　　巍

封面设计：尚世视觉

版式设计：李　　霞

北京联合出版公司出版

（北京市西城区德外大街83号楼9层　　100088）

河北省三河市宏凯彩印包装有限公司印刷　　新华书店经销

字数150千字　　710毫米×880毫米　　1/16　　12印张

2014年11月第1版　　2014年11月第1次印刷

ISBN 978﹣7﹣5502﹣4080﹣3

定价：48.00元（全4册）

爱孩子，就让孩子学会保护自己！

孩子们天真无邪、不谙世事，而现代社会又潜藏着安全隐患，为了避免孩子们陷入危险，受到伤害，我们应该教会孩子们如何保护自己！

这套书以幼儿安全为主题，共4册，内容涵盖了幼儿生活的方方面面。从交通安全、户外安全、饮食安全到人身安全、幼儿园安全，全面提供孩子所应具备的生活安全新知。

这本《幼儿公共场所安全》以孩子们在幼儿园碰到的问题为故事内容和主线，根据幼儿心理和认知特点，以寓教于乐的科学理念，为孩子们精选了10个故事。

别出心裁的编写给这本书增添了吸引力。本书以有趣的小故事引出实用而贴心的建议和应对危险的自救方法，并配以温馨活泼的插图，让孩子在欢乐的阅读气氛中，轻松地理解和接受安全教育的内容。爱孩子，就快来让他学会自护自救吧！

目录

玩转超市

——逛超市不乱跑

周末的早上，太阳公公笑眯眯地照着大地。辰辰拉着妈妈的手，来到超市买东西。哦，超市里的东西真多呀！辰辰的眼睛都看不过来了。

哎，那边怎么有好多人？他们在干什么？辰辰非常好奇，想过去看看。于是，不知不觉地松开了妈妈的手，跑了过去。

妈妈一转身，才发现辰辰不见了，也顾不上买东西了，急忙到处找辰辰，"辰辰，辰辰！"妈妈一边找，一边喊，急得眼泪和汗水一起往外涌。

　　终于在人群中看到了拿着玩具正在玩儿的辰辰，妈妈的一颗心这才放下了，但还是忍不住批评辰辰："你这样乱跑太危险了！以后不许离开妈妈身边！"

小叮咛

　　超市里人多、货物多，小朋友要跟大人在一起，以免与家人走散，被坏人骗走。另外，超市的蔬菜区和海鲜区，地面湿滑，小朋友一个人容易摔倒。

知道吗

在公共场合，小朋友与大人走散了怎么办

- ♥ 不慌张、不哭闹，待在原地，等父母来找你。
- ♥ 向附近的工作人员或保安求助，说清父母的名字和联系方式，请他们帮忙寻找。
- ♥ 不要随便与陌生人说话，更不能说自己和父母走散了。
- ♥ 坚决不跟陌生人走。

比比谁厉害

——公交车上不能打闹

星期六，言言和乐乐相约去海洋馆玩个痛快。

在回家的公交车上，他俩还意犹未尽，不停地议论着刚才看到的动物。

"鲨鱼太厉害了，它张开大口，都能把人给吃掉。"言言说完，学着鲨鱼张嘴的样子。

"我觉得鲸也厉害，没看它大块吃肉的样子吗？"乐乐也学着鲸张口大块吃肉的样子咬了过去。

"鲨鱼厉害！""鲸厉害！"

两个人争得面红耳赤。说着，说着，在车厢里打闹起来。"言言、乐乐，快回到座位上坐好！"妈妈的话还没说完，"嘎——"的一声，公交车紧急刹车，言言和乐乐摔倒在车上，哇哇地大哭起来。

小叮咛

公共汽车在行驶过程中，在不停地运动着。坐车时，一定要坐稳扶好，不要在车上打打闹闹，以免发生意外！

乘坐公交车要注意些什么

♥ 要等公交车停稳后，再上下车。

♥ 要按顺序上下车，不能推挤、拼抢座位。

♥ 坐在座位上时，要双手扶住前座的椅背。

♥ 没有座位，要尽量往车厢里面走，不要堵在门口，并且要抓牢扶手或别的固定物体。

我的魔仙棒

——过马路要看红绿灯

心心今天要去小姨家做客去，临出门时，还拿上她的魔仙棒，想在路上玩儿。

心心牵着妈妈的手，特别开心，还不时地耍弄着手里的魔仙棒。

心心和妈妈站在马路边上，等绿灯过马路。这时候，魔仙棒没拿住，掉马路上了，骨碌，骨碌，不一会儿，魔仙棒滚到马路中间去了。

"妈妈，我的魔仙棒！"心心急了。

没等妈妈答应，心心就挣脱妈妈的手，跑向马路中间捡魔仙棒。

"嘎——"一辆车停在心心面前。

"小朋友，过马路要左右看。现在是红灯，不可以乱跑，这样多危险！"一位叔叔从车里探出头来说道。

妈妈吓坏了，赶紧跑过来，不住地向叔叔道歉。

小叮咛

过马路要走人行道、过街天桥或者地下通道。不能翻越马路护栏，更不能闯红灯，以免被来往的车辆撞到。

过马路时应该注意什么

❤ 过马路时，一定要牢记口诀："红灯停，绿灯行，黄灯我们等一等。"

❤ 绿灯亮了过马路，同时要注意左右有没有闯红灯的车辆。

❤ 过马路要加快脚步，不要在马路中间逗留。

跟着扶手往上爬

——不把扶梯当玩具

　　幼儿园放学后，奇奇和东东约好去商场的游乐场玩。去游乐场要坐扶梯才能上去，奇奇和东东最喜欢坐扶梯了。他俩在扶梯上面又蹦又跳的。"站好了，不要乱蹦乱跳，以免发生危险。"妈妈立即制止道。

两个孩子停下来后，接着又把注意力转向了扶手，原来扶手也能跟着往上走。"咦，我站到边边上，跟着扶梯往上走一定很好玩。"奇奇一边想着，一边双手用力抓着扶手，两脚使劲踩在扶手金属沿的边上。

这可把妈妈们吓坏了，赶紧把奇奇和东东抱下来。对两个孩子进行了耐心的引导："扶手的传送带是用来扶手的。你们这样做很危险的，不小心被电梯夹到，会发生意外。"

小叮咛

小朋友不能单独乘扶梯，要有家长陪同和看护。踏上扶梯时，双脚要离开梯级边缘，站在梯级踏板黄色安全警示边框内，并要扶住扶手。

怎样安全乘扶梯

♥ 不要在扶梯上走或跑，更不能玩耍打闹，以免摔倒或跌落扶梯发生危险

♥ 要系好鞋带，穿好衣裤，不要将鞋及衣物触及扶梯挡板。

♥ 不能将头部、四肢伸出扶手装置以外，以免受到障碍物的撞击。

♥ 不要逆行、攀爬、倚靠扶梯。

神奇的大火车

——不能在铁轨上玩耍

丁丁很喜欢火车，觉得火车特别厉害，像一条巨龙一样，在陆地上爬行。

关于火车，丁丁总有问不完的问题："妈妈，火车为什么要在细细的铁轨上行驶？"

这一天，丁丁跟着妈妈去公园玩，正好经过铁轨轨道。

见铁轨上没有火车，丁丁沿着铁轨跑了起来，站在铁轨上向远方看去。哇，铁轨好长啊！丁丁像走平衡木一样沿着铁轨走了起来。

妈妈急忙跑过去，把丁丁拉到铁轨外，严厉地说："丁丁，不要在铁轨上玩耍，火车在行驶中速度非常快，万一火车来了，跑都来不及！"

小叮咛

过铁道时，要注意看铁路交通信号。不要在铁轨上逗留玩耍，更不要把铁轨当成平衡木或游戏场。

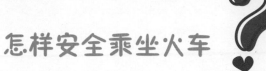

知道吗

怎样安全乘坐火车

♥ 上下火车时，要注意火车与站台之间的缝隙，以免脚被卡住。

♥ 不要将身体任何部位伸出火车的窗外，以免被外面的东西划伤。

♥ 火车行驶时，不要随意在车厢内走来走去，以免摔倒。

♥ 火车快到站时不要去洗手间，以免被锁住。

这是我的家

——不在窨井盖上玩耍

星期天，欢欢、毛毛和鹏鹏三个人玩过家家游戏。

毛毛跑到大树下画了一个圆圈，说："这儿是我家！"

26

鹏鹏把花坛当成了自己的家。

欢欢在院子里找啊找，有了！她大声喊着："这个窨井盖子就是我'家'！"

游戏开始了！

欢欢在"家"里又蹦又跳。突然，她一个趔趄，差点摔倒了，低头一看，脚下的井盖子倾斜了！她赶紧跳到旁边。

毛毛和鹏鹏跑了过来。当他们看见倾斜的井盖时，也吓了一跳，赶紧拉着欢欢跑开了。

小叮咛

遇到窨井时要绕开走，不在井盖上蹦跳玩耍，以免因井盖不牢落入窨井。

知道吗

遇到没盖的窨井怎么办

♥ 遇到没有盖子的窨井，应该绕着走。

♥ 在没盖子的窨井周围摆上一些大点的物体，做标识。

♥ 及时告诉大人，请他们尽快处理。

比比谁更快

——不能在马路上玩滑板车

涛涛是个爱运动的小男孩，特别喜欢玩滑板车。幼儿园放学或者周末，他常与小伙伴在小区的广场上玩儿滑板车

可是小区广场上地方小，涛涛就提出要去马路边的人行道上玩儿。

奶奶拗不过涛涛，与涛涛约好不能滑得太快。涛涛觉得自己的技术很好，越滑越快，他要与马路上的汽车比赛呢！奶奶叫都叫不住。

由于涛涛滑得太快，滑板车一下子失去了平衡，冲向了马路上。"砰，砰"涛涛摔倒在了马路上。

还没等涛涛回过神来，一辆三轮车在涛涛身后刹住了车。"真危险啊！涛涛，以后可不能在这儿玩滑板车了。"奶奶吓得脸色都变了。

小叮咛

小朋友玩儿滑板车一定要到空旷、路面平整的广场上玩儿，不能去车辆和行人多的马路上或人群中玩儿，以免发生危险。

知道吗

怎样正确玩滑板车

- ♥ 刚学习玩儿滑板车的时候，要有大人陪同。
- ♥ 滑板车的滑行速度不能太快。
- ♥ 双手紧握手柄处，眼睛看前面，身子尽量前倾。
- ♥ 玩滑板车时，要系好鞋带，还要注意不要被周围的物体拌着。

我是汽车指挥家

—— 不在汽车后面玩耍

周六，爸爸开车带着辉辉去郊区游玩，爬山、捞鱼、捉蝴蝶、骑车……今天真是开心的一天呀！

太阳快落山了，辉辉才坐着爸爸的车回家。车刚在院子里停稳，趁着妈妈在车上拿东西的功夫，辉辉迫不及待地下了车，赶紧跑到车后面。

原来呀，辉辉着急下车，想指挥爸爸把车停到车位上呢！

"向左、向右、打轮、前进、后退。"辉辉像模像样地指挥着。

"辉辉，走开，别站在汽车后面，快跑开。"妈妈拎着东西赶紧跑了过来，把辉辉拉开了。

好险，爸爸的车差点儿就要撞到辉辉了。"以后可不许站在汽车后面了，太危险了。"妈妈严肃地批评道。

小叮咛

汽车的屁股后面可没长眼睛，小朋友们个子小，司机看不见车后面的情况。所以，千万不要在汽车后面站着，更不能在停车场玩耍。

知道吗

怎样安全乘坐小汽车

💗 小朋友坐小汽车，要等车停稳了再上下车。

💗 坐在小汽车里面，要坐到后座上，还要系好安全带。

💗 小朋友在汽车里面，不要大喊大叫，更不能打闹玩耍。

💗 坐在汽车里面，不能把头或手伸出窗外。

安全线
——在安全线外等候地铁

　　妈妈要带萌萌去动物园，临出门时，萌萌拿上了小皮球。这是萌萌第一次坐地铁，他对一切都非常好奇，老向妈妈问这问那。

　　不知不觉，他们来到了站台上。萌萌见大家都自觉地站在安全线外排队，等候着地铁进站。

萌萌的脑袋瓜里又闪现了好多疑问：
"妈妈，为什么大家都站在安全线外面呢？
这条安全线是不是有魔法呢？"
"这是安全警戒线，时刻
提醒人们注意安全。我们都
要……"

没等妈妈说完，萌萌的小皮球落到地上，眼看就要滚到铁轨里了，萌萌跨过安全线要去追小皮球。

妈妈一把将萌萌拉了回来，拉到了安全线外面。很快地，列车开进了站。再看地上的小皮球，已经被列车呼啸而来的气流吸到铁轨里去了。

小叮咛

小朋友在等候列车时，一定要站在安全线的外面，上下地铁也要注意安全，以免发生危险。

知道吗

怎样安全乘坐地铁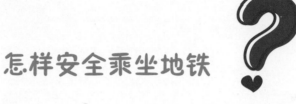

❤ 乘坐地铁时，要按秩序排队进站，不要拥挤。

❤ 要站在安全线外面等候列车进站。

❤ 列车停稳后才能上下列车，小朋友应该跟着大人上下列车。

❤ 不要在地铁车厢里打闹，要扶稳坐好。

去旅行

——乘坐飞机要系好安全带

趁休假爸爸妈妈带着晶晶坐飞机去香港旅游。头一回坐飞机的晶晶兴奋异常，高兴地叫着："我要坐飞机喽，要坐飞机喽！"

机场上人还真不少，晶晶早早地跟着爸爸妈妈来到候机大厅，大家排着队上了飞机。

晶晶在飞机上坐了一会儿后，忍不住左瞧瞧右看看，小手这摸摸那摸摸。飞机起飞前，空姐要求大家系好安全带。晶晶有点儿不乐意了，心想：系上安全带，我就没法玩儿了。

"晶晶，快把安全带系好，一会飞机起飞了，万一飞机颠簸，你会摔倒磕碰到的。"妈妈耐心地跟晶晶讲解。

飞机起飞了，晶晶感觉到一阵摇晃，差一点儿就摔离座位了。妈妈趁机强行帮晶晶系上安全带。

飞机飞行途中，遇到强大气流，又剧烈地摇晃了几次。每次摇晃，晶晶的身子都往前倾，好在系好了安全带，晶晶才没有被甩出座位去。

小叮咛

父母在带孩子坐飞机前，最好能告诉孩子有关注意事项，与孩子好好沟通，以便遇到问题时能很好地解决。

 知道吗

怎样安全乘坐飞机

♥ 飞机场人多，小朋友们不能到处乱跑，以免走失。

♥ 上下飞机，一定要排队，不能拥挤。

♥ 在飞机上，一定要系好安全带。

♥ 当飞机起飞、降落或颠簸时，安静地坐在座位上，不要大喊大叫。